BOB EYNON

LLADD AKAMURO

DREF WEN

Llun y clawr gan Brett Breckon

Mae Bob Eynon wedi datgan ei hawl
i gael ei adnabod fel awdur y gwaith hwn yn unol â
Deddf Hawlfraint, Dyluniadau a Phatentau 1988.

Cyhoeddwyd gan Wasg y Dref Wen,
28 Ffordd yr Eglwys,
Yr Eglwys Newydd, Caerdydd CF14 2EA
Ffôn 029 20617860

Argraffwyd ym Mhrydain.

I Elwyn, Brian a Robbie

1.

Yn India ym mis Mai 1944 rhoddodd milwr ifanc ei fag ar y llawr a mynd i eistedd ar y bync agosaf at y drws. Roedd y ffenestr yn agored ac roedd radio mewn caban arall yn rhoi newyddion y dydd.

"Yn yr Eidal mae Monte Cassino wedi cwympo ar ôl brwydr ffyrnig a hir. Mae'r Prydeinwyr a'r Americanwyr yn symud ymlaen i gyfeiriad Rhufain. Yn y Crimea mae byddin Rwsia yn dal i wthio milwyr Hitler yn ôl … "

Agorodd drws y caban a daeth milwr tal i mewn.

"Helô," meddai wrth y dyn ar y bync. "Oes lle i fi yma?"

"Oes," atebodd y llall. "Mae'r bynciau i gyd yn wag."

Dewisodd y milwr tal fync ger un o'r ffenestri.

"John Hamilton ydw i," meddai. "Rwy'n dod o Stirling yn yr Alban. Pwy ydych chi?"

"Alwyn Jenkins ydw i, ac rwy'n dod o Gymru." Cododd y Cymro ifanc ar ei draed ac estyn ei law i'r Albanwr. Siglon nhw ddwylo ac yna tynnodd Hamilton becyn o sigaréts o'i boced.

"Ydych chi'n smygu?" gofynnodd i'r Cymro.

"Nac ydw," atebodd Jenkins gan wenu, "ond rwy'n hoffi peint o gwrw."

7

"Wel, does dim cwrw 'da fi," meddai Hamilton gan danio sigarét, "ond fe bryna i beint ichi heno yn y NAAFI."

"Os bydd amser 'da ni," atebodd y Cymro. "Mae amserlen ar y wal. Bydd rhaid inni gwrdd â'r cyrnol ar ôl swper."

"I beth?"

"Wn i ddim," meddai Jenkins. "Rydw i newydd gyrraedd y gwersyll. Ar ddechrau'r wythnos roeddwn i yn Delhi. Nawr dyma fi ar ffin Burma."

"Roeddwn i yn Lahore," meddai'r Albanwr.

Am hanner awr wedi saith aeth y ddau filwr i neuadd lle roedd y cyrnol yn disgwyl amdanyn nhw. Roedd dau filwr arall yno hefyd – lifftenant ifanc a sarjant yn ei dridegau. Cododd y cyrnol ar ei draed.

"Eisteddwch," meddai wrthyn nhw. "Rwy'n mynd i egluro'r sefyllfa ichi. Rydych chi wedi cael eich dewis achos eich bod yn gyfarwydd â neidio â pharasiwt."

Aeth y cyrnol i sefyll wrth fap mawr ar y wal y tu ôl i'w ddesg.

"Dyma ogledd Burma," meddai, "lle mae'r Chineaid a'r Americanwyr yn ymosod ar y Japaneaid. Mae'r Japaneaid wedi anfon eu cadfridog gorau, Akamuro, i dref Kunshongo i wthio'r ymosodwyr yn ôl dros ffin China."

Edrychodd y cyrnol ar y pedwar milwr. Roedden

nhw'n gwrando'n astud.

"Mae dyn o Kunshongo yma yn y gwersyll gyda ni. Than ydy'i enw ac mae'n casáu'r Japaneaid. Lladdon nhw ei rieni. Mae Than yn barod i dywys grŵp o filwyr i Kunshongo i ladd Akamuro. Chi ydy'r milwyr 'na, os ydych chi'n fodlon derbyn y sialens. Oes cwestiynau 'da chi?"

2.

"Pa mor hir fydd y daith trwy'r jyngl, syr?" gofynnodd y lifftenant ag acen Llundain.

Cododd y cyrnol ei ysgwyddau.

"Mae'n dibynnu, Lifftenant Bray," atebodd. "Os bydd y Dakota yn gallu osgoi awyrennau Japan – y Zeros – byddwch chi'n glanio yn ymyl pentref Pakkow, lle mae'r trigolion yn hoffi'r Prydeinwyr. Byddan nhw'n rhoi bwyd ichi, ac yn eich helpu i gyrraedd Kunshongo'n ddiogel."

Trodd y cyrnol at y sarjant.

"Rydych chi'n nabod y Japaneaid yn dda, Kenealy," meddai. "Rydych chi wedi ymladd yn eu herbyn. Oes cyngor 'da chi i'w roi i'r lleill?"

"Rhoddodd byddin Japan gosfa inni yn Burma y llynedd, syr," atebodd y sarjant. Roedd ganddo fe acen feddal Iwerddon. "Mae rhai pobl yn ofni'r Japaneaid, ac mae rhai'n eu casáu nhw."

"Beth amdanoch chi, Sarjant?" gofynnodd Lifftenant Bray.

"Rydw i'n eu parchu nhw," atebodd Kenealy. "Maen nhw'n filwyr da."

Cododd yr Albanwr ei law.

"Ie, Hamilton?" meddai'r cyrnol.

"Os byddwn ni'n llwyddo i ladd Cadfridog Akamuro," meddai, "beth wedyn?"

"Cwestiwn da," meddai'r cyrnol. "Bydd rhaid ichi droi i'r gogledd a cheisio cysylltu â'r Americanwyr a'r Chineaid."

"Fydd yr Americanwyr yn ein disgwyl ni, syr?" gofynnodd Alwyn Jenkins.

Siglodd y cyrnol ei ben.

"Na fyddan," atebodd. "Mae'r cynllun i ladd Akamuro yn gyfrinach."

Yn ôl yn eu caban trafododd Alwyn Jenkins a John Hamilton gynllun y cyrnol.

"Mae'n swnio'n beryglus," meddai'r Cymro. "A bron yn amhosibl."

"Ydy mae," cytunodd yr Albanwr. "Ond fydda i ddim yn gwrthod mynd."

"Finne chwaith," cytunodd y Cymro.

3

Treuliodd y milwyr weddill yr wythnos yn paratoi ar gyfer y daith. Cwrddon nhw â Than, dyn bach dymunol. Doedd e ddim yn siarad Saesneg yn dda, ond roedd e'n awyddus i helpu ymhob ffordd. Gweithiodd gyda nhw ar fapiau gogledd Burma, a hefyd dysgodd rai geiriau a brawddegau defnyddiol iddyn nhw yn ei iaith ei hun.

"Mae Than yn ddyn da," meddai Sarjant Kenealy wrth Lifftenant Bray. "Ond dydy e ddim yn filwr. Fyddwn ni ddim yn gallu dibynnu arno fe mewn brwydr."

Atebodd y swyddog ifanc ddim. Roedd tensiwn yn tyfu rhwng Bray a Kenealy. Roedd y lifftenant yn mynd i arwain y grŵp ond roedd y sarjant yn llawer mwy profiadol nag e.

Yna, un prynhawn, dringodd y milwyr i mewn i un o Dakotas yr RAF a chychwyn ar eu taith y tu ôl i linellau'r Japaneaid. Ar ôl awr yn yr awyr dywedodd aelod o griw yr awyren fod niwl ar y bryniau o'u blaenau.

"Rhaid ichi neidio nawr, Lifftenant," meddai wrth Bray, "cyn inni gyrraedd y niwl."

"Ond pa mor bell ydy Pakkow?" gofynnodd y swyddog.

"Dydw i ddim yn siŵr. Ugain milltir efallai," atebodd yr awyrennwr.

"Ugain milltir! Mae'n rhy bell," atebodd Bray. "Sut rydyn ni'n mynd i dorri trwy'r jyngl?"

"Mae ffordd islaw," meddai'r awyrennwr. "Mae'n siŵr o arwain i rywle. Rwy'n mynd i agor drws yr awyren. Pob lwc!"

Agorodd e ddrws ochr y Dakota a chafodd Alwyn Jenkins gipolwg ar garped gwyrdd islaw. Dechreuodd calon y Cymro guro fel drwm. Llifftenant Bray oedd y cyntaf i neidio, ac yna John Hamilton ac Alwyn Jenkins. Petrusodd Than am foment ac roedd rhaid i Sarjant Kenealy ei wthio trwy'r drws.

Tynnodd y Cymro gortyn ei barasiwt a dechreuodd nofio yn y gwynt. Dechreuodd ymlacio. Roedd popeth yn mynd yn dda. Yna, edrychodd o'i gwmpas a gwelodd dri pharasiwtiwr yn disgyn yn araf fel plu. Dim ond tri! Roedd un o'r parasiwtiau wedi methu agor!

4.

Glaniodd Alwyn Jenkins yn ddiogel mewn llannerch yn y coed. Doedd dim rhaid iddo balu twll yn y ddaear er mwyn cuddio ei barasiwt. Roedd carped trwchus o

12

ddail dan ei draed, a chuddiodd y parasiwt heb drafferth yn ymyl y goeden agosaf. Yna dilynodd lwybr cul trwy'r jyngl am ganllath cyn cyrraedd y ffordd.

"Jenkins … "

Trodd ei ben a gweld Lifftenant Bray yn cerdded tuag ato.

"Ie, syr?"

"Ydych chi wedi gweld y lleill?" gofynnodd Bray.

"Nac ydw," atebodd y Cymro. "Ond rydyn ni wedi colli un aelod o'r grŵp yn barod. Fe fethodd un o'r parasiwtiau agor ar y ffordd i lawr."

"Ydych chi'n siŵr, Jenkins?"

"Ydw, syr."

Sychodd y swyddog y chwys oddi ar ei dalcen. Roedd y daith wedi dechrau'n wael.

"Beth rydyn ni'n mynd i'w wneud, Jenkins?" gofynnodd e'n sydyn.

Cafodd Alwyn Jenkins sioc wrth glywed Bray yn siarad fel yna. Meddyliodd am foment.

"Rhaid inni chwilio am y lleill, syr," awgrymodd. "Fe a' i y ffordd yma, a chi … "

"Na … " atebodd Lifftenant Bray gan ysgwyd ei ben. "Rhaid inni aros gyda'n gilydd, trwy'r amser."

Dechreuon nhw gerdded ar hyd y ffordd yn araf achos roedd y tywydd yn boeth iawn. Roedd y ddau ohonyn nhw'n nerfus. Oedd y Japaneaid wedi gweld y parasiwtiau'n disgyn?

Yn sydyn clywodd y Cymro glic, ac aeth ei waed e'n oer. Trodd e a'r llfftenant eu pennau a gweld reiffl yn anelu atyn nhw o gysgod y coed. Yna cerddodd Sarjant Kenealy allan i olau'r haul.

"Rydych chi mor swnllyd â phlant ysgol," meddai wrthyn nhw'n sych. "Rhaid ichi gadw'ch lleisiau'n isel trwy'r amser."

Nodiodd Alwyn Jenkins ei ben. Roedd e'n parchu'r sarjant o Iwerddon.

"Mae un o'r parasiwtiau wedi methu agor," meddai Llfftenant Bray wrth Kenealy. "Rydyn ni wedi colli Than neu Hamilton."

"Rwy'n gwybod," atebodd y sarjant. "Rhaid inni … Sh … Rwy'n gallu clywed rhywbeth."

Roedd y grŵp wedi cytuno i chwibanu pedwar nodyn cyntaf y *Lambeth Walk* i gysylltu â'i gilydd yn y jyngl. Aeth y tri milwr yn ddistaw, ac yna clywodd Kenealy y nodau eto. Atebodd e â'r un dôn, a chyn bo hir roedden nhw'n gallu clywed rhywun yn torri'i ffordd trwy'r jyngl.

"Gadewch inni fynd i'w helpu e," meddai Llfftenant Bray, ond siglodd y sarjant ei ben.

"Mae'n well inni gadw'n llygaid ar y ffordd fawr," meddai. "Dydyn ni ddim eisiau cwympo i ddwylo'r

14

Japaneaid hanner awr yn unig ar ôl glanio yn Burma!"

Roedd llygaid Alwyn Jenkins ar y ffordd, ond roedd ei feddwl ar y dyn yn y jyngl. Pwy oedd wedi marw – Hamilton neu Than? Yna daeth dyn allan o'r coed.

"Fe laniais i ar ben coeden enfawr. Roedd rhaid i fi ddefnyddio'r machete i dorri fy ffordd i'r ddaear," meddai dyn ag acen gref yr Alban.

5.

"Felly rydyn ni wedi colli'n tywysydd," meddai Lifftenant Bray.

"Mae'n ddrwg 'da fi, syr," atebodd John Hamilton yn sych. Roedd ei wyneb a'i grys yn chwys i gyd. Roedd e wedi gweithio'n galed i dorri'i ffordd trwy'r jyngl.

Sylwodd Bray ddim ar yr eironi yn llais yr Albanwr.

"Mae dau ddewis 'da ni," meddai'r lifftenant wrth ei filwyr. "Cadw at y ffordd fawr, neu groesi'r jyngl."

Ddywedodd neb air am foment. Yna,

"Does dim dewis," meddai Sarjant Kenealy. "Heb dywysydd fydd dim siawns 'da ni yn y jyngl."

"Mae olion teiars yn y llwch, syr," meddai Alwyn Jenkins gan wenu. "Efallai y cawn ni lifft gan rywun !"

Trodd y swyddog arno.

"Peidiwch â siarad lol, Jenkins," meddai'n llym.

"Dydy e ddim yn siarad lol," meddai Kenealy. "Yn ôl Than, mae ffatri trin coed yn ymyl Pakkow. Olion teiars lorri ydyn nhw."

Edrychodd Lifftenant Bray ar y lleill. Roedden nhw'n edrych yn benderfynol. Doedden nhw ddim eisiau mentro i mewn i'r jyngl heb reswm da.

"O'r gorau," meddai'r swyddog mewn llais blinedig. "Fe gadwn ni at y ffordd … "

Roedd yr haul yn isel yn yr awyr pan glywson nhw gerbyd yn dod ar hyd y ffordd y tu ôl iddyn nhw. Erbyn hyn roedd y milwyr wedi cerdded dwy neu dair milltir er gwaethaf y gwres.

"Ewch i guddio y tu ôl i'r coed," meddai Sarjant Kenealy. "Os taw milwyr Japan ydyn nhw, fe fydda i'n saethu heb rybudd."

Ond brodor o Burma oedd gyrrwr y lorri. Stopiodd ar unwaith pan welodd e Kenealy yn sefyll yng nghanol y ffordd yn anelu ei wn sten ato. Daeth gweddill y grŵp allan o'r jyngl pan glywson nhw signal y sarjant. Roedd Kenealy'n ceisio egluro'r sefyllfa i yrrwr y lorri.

"Rydyn ni eisiau lifft i Pakkow," meddai, dro ar ôl tro.

Tra oedd y sarjant yn siarad, dringodd John

Hamilton ar gefn y lorri.

"Ardderchog," meddai'r Albanwr wrth y lleill. "Mae digon o ddarpolin yma i guddio platŵn!"

Doedd y gyrrwr ddim yn edrych yn hapus. Tynnodd ei law ar draws ei wddf fel cyllell.

"Japaneaid," meddai wrth y sarjant.

Gwenodd Kenealy arno fe.

"Japaneaid dim problem," meddai'r sarjant yn Saesneg, gan dapio baril y gwn sten …

6.

Roedd hi'n dechrau tywyllu pan glywodd Alwyn Jenkins ddynion yn gweiddi a breciau'n sgrechian. Stopiodd y lorri a diffoddodd y gyrrwr yr injan. Roedd y dynion yn siarad mewn iaith ddieithr. Iaith Burma efallai … ?

Cododd y Cymro ei ben yn ofalus. Roedd hanner dwsin o filwyr Japan yn sefyll ar y ffordd o flaen y lorri.

Teimlodd law ar ei fraich. Roedd Kenealy ar ei benliniau wrth ei ochr. Cododd y sarjant fys i'w wefusau. Edrychodd Alwyn ar y lleill. Roedd y lifftenant ifanc yn edrych yn nerfus iawn, ond doedd wyneb John Hamilton ddim yn dangos unrhyw deimlad. Rhoddodd Kenealy y gwn sten i'r Cymro a thynnodd ei gyllell o'i wregys.

Roedd llais y gyrrwr wedi codi, a lleisiau'r Japaneaid hefyd. Doedd pethau ddim yn mynd yn dda. Yna daeth un o filwyr Japan at gefn y lorri a dechrau dringo i mewn. Roedd ei draed e yn yr awyr pan ddaeth Kenealy â'r gyllell ar draws ei wddf a syrthiodd y milwr yn ôl ar y ddaear.

Cododd Alwyn Jenkins ar unwaith ac anelu'r gwn sten at weddill y Japaneaid. Pwysodd ar y glicied ac anfon cawod o fwledi tuag atyn nhw. Roedd Lifftenant Bray wedi codi hefyd, ac roedd e'n cefnogi'r Cymro â'i ddryll llaw. Chymerodd Hamilton ddim rhan yn yr ymladd. Roedd e'n gwylio'r jyngl o gwmpas y lorri. Roedd e'n dal ei reiffl yn ei law, ac roedd e'n barod i wynebu unrhyw fygythiad newydd.

"Stopiwch!" gwaeddodd Kenealy, ac aeth y gynnau'n ddistaw.

Neidiodd y Gwyddel o gefn y lorri. Roedd y gelynion i gyd wedi marw. Roedd y gyrrwr wedi aros yn y cab a doedd e ddim wedi cael ei anafu.

Edrychodd Kenealy ar y lleill. Doedd dim rhaid iddo ddweud dim. Roedden nhw i gyd wedi perfformio'n dda. Edrychodd Alwyn ar Bray. Roedd y lliw wedi dod yn ôl i ruddiau'r lifftenant ac roedd e'n gwenu'n swil. Fel Jenkins a Hamilton, roedd bola'r Sais yn troi o hyd,

18

ond o leiaf roedden nhw'n fyw.

Yn y cyfamser roedd y gyrrwr yn siarad yn gyflym ac yn chwifio'i ddwylo trwy ffenestr y cab.

"Beth mae e eisiau?" gofynnodd Kenealy.

"Mae e eisiau inni guddio'r cyrff ar gefn y lorri," meddai John Hamilton.

"O'r gorau," cytunodd y Gwyddel. "Helpwch fi, 'te."

Ymhen hanner awr, cyrhaeddodd y lorri ymyl hafn ddofn. Diffoddodd y gyrrwr yr injan a daeth allan o'r cab i helpu'r lleill.

Ar ôl i'r corff olaf ddiflannu i mewn i'r hafn, trodd y gyrrwr at y lleill.

"Japaneaid … " meddai, ac yna chwerthin fel gwallgofddyn.

7.

Roedd y milwyr yn eistedd ar y llawr yng nghaban pennaeth y pentref, Khin Ne. Dyn tew oedd e, ac roedd e bob amser yn gwenu. Roedd y llifftenant a'r sarjant yn ceisio defnyddio eu hychydig eiriau o iaith Burma i egluro'r sefyllfa, ond doedd y pennaeth ddim yn eu deall.

Yna, agorodd drws y caban a daeth merch ifanc i

mewn. Er bod golau'r canhwyllau'n wan, roedd Alwyn Jenkins yn gallu gweld ei bod hi'n hardd iawn. Doedd e erioed wedi gweld merch mor brydferth.

Aeth y ferch at Khin Ne a siarad ag e am funud neu ddau. Yna trodd hi at y milwyr.

"Mae Khin Ne yn hapus i gynnig caban ichi," meddai hi yn Saesneg. "Ond rhaid ichi aros yn agos at y pentref. Os bydd milwyr Japan … "

"Dydyn ni ddim eisiau aros yn y pentref," meddai Llfftenant Bray. "Mae eisiau tywysydd arnon ni."

"Gallwch fwyta yn y pentref," meddai'r ferch. "Mae digon o fwyd i bawb."

"Diolch," atebodd y swyddog ifanc. "Ond beth am y tywysydd?"

Siaradodd hi â'r pennaeth eto. Roedd y dyn tew wedi colli ei wên.

"Rhaid i Khin Ne drafod y mater gyda'r pentrefwyr," meddai'r ferch. "Dydy e ddim eisiau digio'r Japaneaid."

Gwelodd Sarjant Kenealy fod Llfftenant Bray yn dechrau colli'i dymer, felly rhoddodd ei law ar fraich y llfftenant.

"Peidiwch, syr," meddai'n dawel. "Rydyn ni i gyd wedi blino. Rydyn ni wedi cael diwrnod caled."

Tra oedd y milwyr yn mynd allan trwy'r drws, aeth y ferch at y Cymro a gofyn heb betruso:

"Beth ydy dy enw di?"

Trodd e ati hi'n syn.

"Al … Alwyn," atebodd e.

"Alwyn," meddai'r ferch gan wenu. "Dydw i erioed wedi clywed yr enw 'na."

"Enw Cymraeg ydy e," meddai'r milwr ifanc. "Gyda llaw, beth ydy dy enw di?"

"Maya," atebodd hi.

Yn anffodus, roedd yn rhaid i'r Cymro fynd, achos roedd y gyrrwr yn mynd â'r milwyr at eu caban ar gwr y pentref. Roedd e'n lân a sych ond doedd dim gwelyau yno. Byddai'n rhaid i bob milwr gysgu yn ei sach gysgu.

Tra oedd Alwyn Jenkins yn gorwedd yn y tywyllwch, clywodd e John Hamilton yn sibrwd:

"Taff … "

"Ie?"

"Sylwaist ti ar y sêr pan ddaethon ni allan o gaban Khin Ne?"

"Do," atebodd y Cymro. "Roedden nhw'n enfawr."

"Oedden," cytunodd yr Albanwr. "Wyt ti'n gwybod pam?"

"Achos ein bod ni yn y trofannau, efallai."

Clywodd e Hamilton yn chwerthin yn dawel.

"Nage, Taff," meddai'r Albanwr. "Roedden nhw'n edrych yn enfawr achos dy fod ti wedi syrthio mewn cariad."

"Wyt ti'n meddwl?" gofynnodd Alwyn. Roedd e'n gwybod bod ei ffrind yn tynnu ei goes, ond doedd dim ots ganddo.

"Ydw," meddai Hamilton. "Mae cariad 'da fi yn ôl yn yr Alban, felly rwy'n gwybod am bethau fel yna. Nos da, Taff. Breuddwydion melys … "

8.

Roedd Lifftenant Bray yn gobeithio cwrdd â phennaeth y pentref eto y bore canlynol, ond doedd hynny ddim yn bosibl.

"Mae Khin Ne yn rhy brysur y bore 'ma," meddai Maya wrth y swyddog ifanc. "Byddwch chi'n gallu siarad â fe y pnawn 'ma, efallai."

Aeth y ferch â'r milwyr at bwll dwfn yn yr afon oedd yn llifo heibio i bentref Pakkow. Roedd y dŵr clir yn edrych yn hyfryd.

"Gallwch chi nofio yma," meddai Maya wrthyn nhw. "Fe ofala i am eich dillad chi. Mae merched y pentref wedi clywed amdanoch chi. Weithiau maen nhw'n chwarae triciau ar ymwelwyr … "

"Peidiwch â phoeni," meddai'r sarjant wrthi. "Rhaid i fi aros ar lan yr afon i ofalu am ein gynnau ni."

"Ond does dim rheswm …" protestiodd y ferch.

"Rheolau'r fyddin, Maya," meddai Alwyn Jenkins.

Gwenodd Maya arno. Roedd hi'n hapus i fod gyda'r Cymro. Roedd y milwyr eraill yn deall y sefyllfa ac roedden nhw'n gadael Maya ac Alwyn ar eu pennau eu hunain, os oedd hynny'n bosibl. Ond doedd Lifftenant Bray ddim yn hollol hapus.

"Gobeithio y bydd Jenkins yn cadw ei ben," meddai wrth Kenealy. "Dydw i ddim eisiau trafferth yn y pentref, a dydw i ddim eisiau i'r Cymro ddiflannu gyda'r ferch chwaith."

"Peidiwch â phoeni, syr," atebodd y sarjant. "Mae Jenkins yn filwr da. Fydd e ddim yn ein gadael ni i lawr."

Ar ôl cinio aeth Maya ac Alwyn am dro trwy'r pentref.

"Mae'r lifftenant yn dechrau poeni," meddai'r milwr ifanc. "Pryd mae Khin Ne yn mynd i benderfynu beth i'w wneud gyda ni?"

"Mae Mr Menden yn dod yn ôl o Kunshongo y pnawn 'ma," meddai'r ferch. "Fydd Khin Ne ddim yn penderfynu dim byd cyn siarad â fe."

"Pwy ydy Mr Menden?" gofynnodd Alwyn.

"Masnachwr coed ydy e," atebodd y ferch. "Mae'n gwerthu'r coed i filwyr Japan ar gyfer eu rheilffordd newydd. Mae hanner pobl y pentref yn gweithio i Mr Menden."

23

"Un o Burma ydy e?" meddai'r Cymro.

Siglodd Maya ei phen.

"Nage, mae e'n dod o'r Iseldiroedd yn wreiddiol. Ond mae e wedi byw yn Asia ers blynyddoedd."

"Gyda llaw," meddai Alwyn gan wenu. "Sut mae dy Saesneg di mor dda?"

"Daeth fy mam o China," atebodd Maya. "Pan oeddwn i'n blentyn roedd Mam yn gweithio i deulu o Saeson yn Singapore, felly fe ddysgais i Saesneg yn ifanc iawn."

"Beth am dy dad di?"

Gostyngodd y ferch ei llygaid.

"Mae fy nhad wedi marw hefyd," atebodd.

"Mae'n ddrwg gen i," meddai Alwyn. "Ond sut y dest ti i fyw yma?"

"Mae hi'n stori hir," atebodd Maya gan wenu. "A does dim llawer o amser 'da ni. Nawr, wyt ti am ddod am dro gyda mi ar hyd glan yr afon?"

9.

Roedd Bray, Kenealy a Hamilton yn glanhau eu harfau yn y caban pan ddaeth dieithryn i mewn heb guro. Dyn gwyn oedd e, dyn byr ond cadarn. Doedd e ddim yn edrych yn gyfeillgar.

"Julius Menden ydw i," meddai. "Rwy'n rheoli'r ffatri trin coed, yma yn Pakkow."

Cododd Lifftenant Bray ar ei draed.

"Fe gawson ni lifft yn un o'ch lorïau chi," meddai gan wenu. "Diolch yn fawr."

"Rwy'n gwybod," atebodd Menden. "Doedd gan y gyrrwr ddim hawl i roi lifft ichi. Bydd e'n cael ei gosbi. Rydw i'n deall eich bod chi'n chwilio am dywysydd."

"Ydyn," meddai'r swyddog. "Ac fe fydd e'n cael ei dalu'n dda."

"Ble rydych chi eisiau mynd?" gofynnodd Menden.

"Mae'n ddrwg gen i, ond mae hynny'n gyfrinach," atebodd Bray.

"Fydd neb yn fodlon eich helpu chi, Lifftenant," meddai Julius Menden yn grac. "Rydych chi wedi rhoi'r pentref i gyd mewn perygl. Os bydd milwyr Japan yn clywed amdanoch chi, byddan nhw'n dinistrio Pakkow ac yn lladd y pentrefwyr."

"Dydyn ni ddim eisiau aros yma," meddai Sarjant Kenealy yn gyflym. "Rhowch dywysydd inni, ac fe awn ni o'r pentref am byth."

"Amhosibl," atebodd Menden. "Mae'n rhaid eich bod chi'n dwp i ddod yma yn y lle cyntaf. Dydych chi ddim yn gwybod dim byd am y jyngl, a dydych chi ddim yn gwybod dim byd am y Japaneaid. Rydych chi mewn cawl, ond rwy'n mynd i gynnig cymorth ichi."

"Pa gymorth?" gofynnodd Kenealy.

"Rwy'n barod i'ch cuddio chi mewn lle diogel dros dro."

Roedd Lifftenant Bray yn syllu ar Julius Menden, ar ei lygaid glas a'i wallt melyn.

"Almaenwr ydych chi, yntê, Herr Menden?" gofynnodd e'n sydyn.

"Nage, Lifftenant," atebodd Menden gan siglo'i ben. "Rwy'n dod o'r Iseldiroedd."

"Ydych chi'n siŵr?" meddai Bray. "Achos rydych chi'n siarad fel Almaenwr. Dyna pam dydych chi ddim eisiau rhoi help inni?"

Aeth wyneb Julius Menden yn goch.

"Rydw i wedi cynnig cymorth ichi, Lifftenant," meddai. "Penderfynwch beth i'w wneud erbyn canol dydd yfory … "

Roedd cusanau'r ferch yn llosgi gwefusau'r Cymro, ac roedd ei chroen hi'n teimlo mor ffres â dŵr yr afon.

"Maya, Maya!"

Neidiodd y ferch i fyny. Roedd llais gwraig yn galw'i henw hi.

"Rhaid imi fynd," meddai hi wrth y milwr. "Mae Mr Menden wedi dod yn ôl."

Aeth y Cymro yn ôl i'r caban ar ei ben ei hun. Wrth fynd heibio i un o'r ffenestri, clywodd e Lifftenant

Bray yn dweud:

"Mae Menden yn mynd i'n cadw ni yma fel carcharorion. Rhaid inni adael Pakkow heno."

"Dim heno," atebodd Sarjant Kenealy. "Allwn ni ddim teithio trwy'r nos. Awn ni bore fory, jyst cyn i'r wawr dorri."

Yn lle mynd i mewn i'r caban trodd Alwyn Jenkins yn ôl a cherdded trwy'r pentref. Os oedden nhw'n mynd i adael Pakkow, roedd rhaid iddo weld Maya unwaith eto a ffarwelio â hi.

Roedd y ferch wedi dangos tŷ Julius Menden i'r Cymro'n barod. Tŷ mawr oedd e yr ochr arall i'r pentref. Pan gyrhaeddodd y tŷ roedd e'n gallu clywed llais dyn trwy'r ffenestr agored. Roedd y dyn yn swnio'n grac iawn. Roedd e'n gweiddi ar y ferch. Aeth y Cymro i sefyll yng nghysgod coeden fawr gyferbyn â'r tŷ.

O'r diwedd daeth Maya allan. Trodd i gyfeiriad y pentref ac aeth Alwyn i ymuno â hi. Roedd llygaid y ferch yn goch. Roedd hi wedi bod yn crio.

"Maya, beth sy'n bod?" gofynnodd y milwr ifanc.

Sychodd y ferch ei dagrau.

"Mae Mr Menden yn grac achos rydw i wedi bod yn eich helpu chi," atebodd hi.

"Rydyn ni'n mynd i ffwrdd bore fory," meddai'r Cymro'n sydyn. "Heb help Mr Menden."

"Rwyt ti'n mynd i ffwrdd?" meddai Maya. Roedd wyneb y ferch wedi gwelwi. "Ond i ble?"

"I Kunshongo," atebodd y milwr heb feddwl. Yna ychwanegodd yn gyflym:

"Ond paid â dweud wrth neb, Maya."

"Mae dwy ffordd i fynd i Kunshongo," meddai'r ferch. "Byddan nhw'n chwilio amdanoch chi ar y ffordd fawr."

"Beth yw'r ffordd arall?" gofynnodd y Cymro.

"Mae llwybr yn croesi'r jyngl a'r mynydd," meddai'r ferch. "Mae e'n dechrau yn ymyl y pwll lle roeddech chi'n nofio'r bore 'ma."

"Diolch," meddai Alwyn gan wenu. "Af i ddweud wrth y lleill."

10.

Aeth y pedwar milwr trwy'r pentref fel ysbrydion yng ngolau gwan y lleuad. Roedd y pentrefwyr yn dal i gysgu, felly roedd rhaid i Lifftenant Bray a'i ddynion symud heb wneud sŵn.

"Rydyn ni'n lwcus fod y ferch wedi sôn am y llwybr wrth Jenkins," meddyliodd y lifftenant ifanc. "Byddwn ni'n bell i ffwrdd cyn i Menden sylweddoli beth sy wedi digwydd."

Arhoson nhw wrth yr afon a llenwi eu poteli dŵr. Daethon nhw o hyd i'r llwybr wrth ochr craig enfawr ger y pwll lle roedden nhw wedi bod yn nofio. Roedd y wawr yn dechrau torri yn y dwyrain, felly roedden nhw'n gallu gweld yn ddigon da i fynd ymlaen.

Roedden nhw wedi cerdded ryw filltir pan dapiodd Kenealy y Cymro ar ei ysgwydd. Y lifftenant oedd yn arwain y grŵp, a'r sarjant yn dilyn o'r tu ôl.

"Mae rhywun yn dod," meddai'r Gwyddel yn dawel. "Dywedwch wrth y lleill am guddio yn y coed."

Aeth munud heibio. Yna clywodd Alwyn rywun yn dringo'r llwybr gan anadlu'n drwm. Y foment nesaf roedd Sarjant Kenealy'n reslo gyda rhywun ar y ddaear. Rhuthrodd y Cymro i helpu'r sarjant a gwelodd fod Kenealy wedi tynnu ei gyllell allan.

"Stopiwch!" gwaeddodd Alwyn gan afael ym mraich y Gwyddel. "Maya ydy hon … "

Daeth Bray a Hamilton allan o'r jyngl. Cododd y ferch a rhedodd i ddiogelwch breichiau'r Cymro. Roedd hi'n crynu. Roedd hi wedi cael sioc ofnadwy. Roedd Kenealy'n crynu hefyd. Roedd e wedi dod yn agos iawn at ladd y ferch.

Maya oedd y cyntaf i siarad.

"Gwrandewch," meddai hi. "Mae eisiau tywysydd arnoch chi. Rwy'n barod i helpu."

Trodd Lifftenant Bray at Kenealy.

"Beth rydych chi'n ei feddwl, Sarjant?" gofynnodd.

"Oes unrhyw un yn y pentref yn gwybod lle rydyn ni'n mynd?" gofynnodd Kenealy i'r ferch.

"Nac oes," atebodd Maya. "Dydw i ddim wedi siarad â neb."

"Wel, allwch chi ddim troi'n ôl nawr," meddai Kenealy. "Rhaid ichi ddod gyda ni."

Gwenodd y ferch. Roedd hi'n hapus i fod gydag Alwyn unwaith eto. Roedd rhaid iddyn nhw ddringo am weddill y bore a rhan o'r prynhawn. Yna dechreuodd y llwybr ddisgyn i mewn i gwm dwfn. Pan gyrhaeddon nhw waelod y cwm, dywedodd Kenealy wrth Bray:

"Mae hi'n nosi'n gyflym. Rhaid inni wersylla yma."

"Ond mae'r ddaear yn rhy wlyb," protestiodd y lifftenant.

Eisteddodd John Hamilton ar y glaswellt. Roedd ei wyneb yn wyn.

"Rydw i wedi cael llond bol ar gerdded, syr," meddai. "Rwy'n cytuno â'r sarjant."

Edrychodd y swyddog o'i gwmpas. Roedd pawb yn edrych yn flinedig iawn.

"O'r gorau, Hamilton," atebodd. "Ond chi fydd y cyntaf i gadw gwyliadwriaeth."

Roedd yr amser yn mynd heibio'n araf i'r Albanwr. Doedd e ddim yn teimlo'n dda o gwbl. Roedd e'n

30

meddwl trwy'r amser am yr Alban ac am ei gariad, Morag. Roedd Hamilton yn hiraethu am wynt ffres yr Ucheldiroedd. Roedd hi'n rhy boeth yma, ac yn rhy wlyb.

Symudodd rhywbeth yn y glaswellt wrth ei ochr ac aeth ei waed yn oer. Neidr oedd yno? Roedd nadroedd Burma yn beryglus iawn. Cymerodd Hamilton gam yn ôl, ac yna gam arall. Yn sydyn ildiodd y ddaear dan ei draed. Ceisiodd gyrraedd tir cadarn, ond roedd y mwd yn ei sugno i lawr.

Roedd e'n gwneud ei orau glas i godi'i draed, ond roedd y mwd wedi cyrraedd ei gluniau'n barod. Roedd e'n mynd i gael marwolaeth ofnadwy.

Yna anghofiodd John Hamilton y rheolau, a gwaeddodd am help.

11.

Eisteddodd Alwyn Jenkins i fyny'n sydyn. Roedd Maya yn gorwedd wrth ei ochr. Roedd hi'n dal i gysgu. Clywodd y Cymro John Hamilton yn gweiddi rywle y tu ôl i'r coed. Neidiodd ar ei draed a dilynodd sŵn llais yr Albanwr.

Roedd Sarjant Kenealy wedi cyrraedd Hamilton yn barod, ac roedd wedi mynd ar ei benliniau i helpu'r

Albanwr.

"Gafaelwch ynof i, Jock," meddai. "Wna i ddim gadael ichi fynd."

Pan welodd Alwyn fod Hamilton mewn trafferth yn y mwd, dechreuodd ei galon rasio.

"Mae eisiau rhaff arnon ni, Sarj," meddai.

"Oes," atebodd Kenealy. "Mae un yn fy nghitbag i. Brysiwch!"

Roedd Lifftenant Bray wedi codi erbyn hyn, ac roedd e'n sefyll yn ymyl Maya â'i ddryll yn ei law. Gofynnodd e gwestiwn i Alwyn ond chlywodd y Cymro mohono fe. Daeth Alwyn o hyd i'r rhaff yn y citbag, ac yna rhuthrodd yn ôl i'r lle roedd Sarjant Kenealy yn ymdrechu i achub bywyd yr Albanwr.

"Dyma chi, Sarj," meddai.

"Taflwch y rhaff ato fe," gorchmynnodd y Gwyddel. "A chi, Jock, clymwch y rhaff o gwmpas eich corff chi, dan eich breichiau."

Yna dechreuodd y frwydr i dynnu John Hamilton allan o'r mwd. Roedd breichiau Kenealy'n flinedig iawn yn barod, ond cyrhaeddodd y lifftenant mewn pryd i helpu Alwyn Jenkins i dynnu ar y rhaff. O'r diwedd, llwyddon nhw i dynnu Hamilton yn glir o'r mwd a'i roi e ar y ddaear gadarn.

"Diolch," meddai'r Albanwr mewn llais gwan. "Roeddwn i'n dechrau anobeithio."

Gwenodd Alwyn arno fe.

"Dos i newid i ddillad sych, Jock," meddai wrth ei ffrind. "Ac yna cer i gysgu. Fe wna i aros ar wyliadwriaeth ... "

Fore trannoeth, yr Albanwr oedd yr olaf i godi. Doedd e ddim yn edrych yn dda.

"Sut wyt ti'n teimlo, Jock?" gofynnodd Alwyn. "Wyt ti'n ddigon ffit i gerdded?"

Cododd Hamilton ei ysgwyddau.

"Oes dewis 'da fi, Taff?" meddai â gwên wan.

Nawr roedd y llwybr yn disgyn trwy'r cwm i gyfeiriad Kunshongo. Ond roedd y ddaear yn feddal a gwlyb a doedd hi ddim yn hawdd cerdded yn gyflym.

Roedd rhaid i John Hamilton stopio'n aml. Roedd ei ruddiau'n goch, a doedd e ddim yn anadlu'n rhwydd.

"Mae gwres arnat ti, Jock," meddai'r Cymro wrtho, a nodiodd Hamilton ei ben. Roedd e'n teimlo'n ofnadwy, ond doedd e ddim eisiau arafu'r lleill. Yna, yn y prynhawn, pan oedd y grŵp yn gorffwys am sbel, dechreuodd e besychu. Ddywedodd y lifftenant ddim gair wrth yr Albanwr, ond aeth i siarad â Sarjant Kenealy.

"Rwy'n poeni'n fawr, Sarjant," meddai'r swyddog. "Mae rhywun yn siŵr o glywed y pesychu 'na."

Atebodd Kenealy ddim. Roedd e wedi clywed sŵn

arall yn y jyngl. Cododd e'r gwn sten a diflannodd drwy'r coed. Pan ddaeth e'n ôl roedd e'n gwthio baril y gwn sten i mewn i gefn llanc ifanc, ac roedd y llanc yn crynu.

12.

Yn ffodus, roedd Maya yno i siarad â'r llanc yn nhafodiaith yr ardal. Cyn bo hir roedd yr ofn wedi diflannu o'i lygaid.

"Mae'n byw gyda'i fam mewn caban yn y coed," meddai'r ferch wrth y milwyr.

"Gyda'i fam?" meddai Lifftenant Bray. "Beth am weddill y teulu?"

"Mae ei dad a'i frodyr wedi gorfod mynd i weithio i'r Japaneaid yn Kunshongo," atebodd Maya. "Mae'r llanc yma'n hela anifeiliaid bach ac yn casglu ffrwythau er mwyn cadw'n fyw."

Edrychodd y swyddog ifanc ar Sarjant Kenealy.

"Beth rydyn ni'n mynd i'w wneud, Sarjant?" gofynnodd e. "Yn fy marn i, mae Hamilton yn rhy sâl i fynd ymlaen. Ydych chi'n cytuno?"

"Ydw," atebodd y Gwyddel. "Mae Jock yn rhy wan i gerdded."

"Oes arian Burma 'da chi, Lifftenant?" gofynnodd

Maya'n sydyn.

"Oes," meddai Bray. "Pam?"

Trodd y ferch yn ôl at y llanc. Roedd hi'n siarad yn gyflym, ac roedd y llanc yn nodio'i ben o bryd i'w gilydd.

"Rydw i wedi egluro'r sefyllfa iddo fe," meddai Maya gan wenu. "Gallwch dreulio'r noson yn y caban. Ond bydd rhaid ichi dalu."

"Beth amdanat ti?" gofynnodd Alwyn Jenkins.

"Mae ffrindiau 'da fi yn Kunshongo," atebodd hi. "Rwy'n mynd i ymweld â nhw heno. Yfory fe ddof i'n ôl yma. Gobeithio y bydd gen i newyddion am filwyr Japan a'r Cadfridog Akamuro."

Ddywedodd y Cymro ddim gair, ond doedd e ddim yn edrych yn hapus.

"Paid â phoeni, Alwyn," meddai hi. "Fydda i ddim mewn unrhyw berygl … "

Roedd hi'n tywyllu pan gyrhaeddodd Maya dref Kunshongo. Cerddodd yn gyflym trwy'r strydoedd heb edrych ar filwyr Japan oedd yn sefyll ar bob cornel. Roedd ei chalon yn curo fel drwm, ond roedd rhaid iddi ymddwyn yn naturiol.

O'r diwedd cyrhaeddodd hi dŷ cyfarwydd a churo ar y drws. Doedd dim rhaid iddi ddisgwyl yn hir. Agorodd y drws a gwelodd hi wraig ganol oed yn sefyll yno.

"Maya," meddai'r wraig. "Dyna syndod! Dere i mewn."

"Dydy hi ddim yn gwenu," meddyliodd y ferch. "Dydy hi ddim yn hapus i'm gweld i." Ond dilynodd hi'r wraig i mewn i'r tŷ beth bynnag.

Caeodd y drws â chlep y tu ôl iddi. Trodd hi ei phen a gweld dyn yn sefyll yno. Roedd e'n gwisgo dillad milwr Japan. Yna gwelodd hi ddyn arall yn eistedd wrth y bwrdd yng nghanol yr ystafell.

Julius Menden oedd e.

Teimlodd y ferch ei choesau'n mynd yn wan. Doedd hi ddim yn gallu dweud gair. Cododd Menden o'r gadair a daeth ati hi.

"Maya," meddai e'n grac. "Rwyt ti wedi bod mor dwp."

Yna cododd e ei law i roi slap iddi hi ar draws ei hwyneb.

13.

Cysgodd Alwyn Jenkins yn wael y noson honno. Roedd y Cymro'n poeni am ei gariad.

Roedd John Hamilton wedi gwaethygu yn ystod y nos, ac roedd ei wyneb yn felyn. Tra oedd y milwyr yn aros i Maya ddod yn ôl, roedd Sarjant Kenealy yn cymryd diddordeb mewn dillad oedd yn perthyn i feibion y wraig.

"Byddai'r dillad yma yn eich ffitio chi, Taff," meddai wrth Alwyn. "Dydych chi ddim mor dal â'r lifftenant a fi. Beth rydych chi'n ei feddwl, syr?"

Edrychodd y swyddog ar y dillad. Roedd e'n gallu darllen meddwl y sarjant.

"Rydych chi'n iawn, Sarjant," meddai. "Rwy'n mynd i brynu'r dillad yma gan yr hen wraig."

Yna, tua hanner dydd, daeth y llanc i mewn a siarad yn gyflym â'i fam. Roedd rhywbeth pwysig wedi digwydd. Roedd Alwyn yn gweld yr ofn yn eu llygaid. Oedd rhywbeth wedi digwydd i Maya?

Trodd y llanc at Sarjant Kenealy.

"Japaneaid," meddai, gan godi ei law at ei glust. Yna dechreuodd e dynnu ar fraich y Gwyddel.

"Mae e wedi clywed rhywbeth," meddai Bray. "Mae o eisiau inni guddio yn y jyngl."

Edrychodd Alwyn ar Hamilton. Roedd yr Albanwr yn dal i orwedd ar y gwely.

"Ond beth am Jock?" gofynnodd. "Allwn ni mo'i adael e yma."

Petrusodd Bray a Kenealy. Roedd y wraig a'r llanc wedi diflannu'n barod. Yna siaradodd John Hamilton.

"Rwy'n aros yma," meddai wrthyn nhw. "Ewch chi, ond gadewch reiffl gyda fi."

Edrychodd Bray ar Kenealy, a nodiodd y Gwyddel ei ben. Ond trodd Alwyn Jenkins at Hamilton.

"Rwy'n aros gyda ti, Jock," meddai. "Wna i byth dy adael di ar dy ben dy hun."

Gwenodd yr Albanwr arno fe. Roedd Hamilton wedi codi ar ei eistedd yn y gwely nawr.

"Rwy'n marw, Taff," meddai'n syml. "Ond rydw i eisiau i chi fyw. Nawr, baglwch hi, cyn i fi newid fy meddwl!"

Rhoddodd Kenealy ei law ar fraich Alwyn.

"Mae Jock yn iawn, Taff," meddai'n dawel. "Mae'n rhaid inni fynd."

Cyrhaeddon nhw'r coed jyst mewn pryd. Daeth beic modur â seidcar i mewn i'r llannerch yn cario tri milwr Japaneaidd.

"Ewch chi i mewn i'r jyngl," meddai'r sarjant wrth y lleill. "Rwy'n mynd i aros i weld beth fydd yn digwydd."

Phrotestiodd y lifftenant ddim. Roedd Kenealy'n llawer mwy profiadol nag e.

Clywodd John Hamilton y beic modur yn stopio o flaen y caban. Roedd y Japaneaid yn siarad yn hapus. Doedden nhw ddim yn amau dim. Cododd Hamilton y reiffl a'i anelu at ddrws y caban. Yna daeth dau filwr i mewn. Saethodd yr Albanwr a syrthiodd y dyn cyntaf ond roedd yr ail ddyn yn tynnu dryll llaw o'i wregys. Chafodd Hamilton ddim cyfle i saethu'r ail waith ...

14.

"Rhoddon nhw gyrff Jock a'r Japanead yn y seidcar ac yna gyrron nhw i ffwrdd," meddai Kenealy wrth y lifftenant ac Alwyn Jenkins.

"Roedd gwn sten 'da chi," meddai'r Cymro'n grac. "Pam na saethoch chi nhw?"

"Daethon ni yma i ladd y Cadfridog Akamuro," atebodd Kenealy. "Roedd Jock yn deall hynny. Dyna pam y rhoddodd e ei fywyd droston ni."

Roedd Lifftenant Bray yn edrych o'i gwmpas. Roedd y llannerch yn wag. Doedd y wraig a'r llanc ddim wedi dod yn ôl.

"Rhaid inni fynd," meddai. "Rydyn ni'n colli amser yma."

"Ond beth am Maya?" protestiodd Alwyn. "Bydd hi ar ei ffordd yn ôl."

"Ar ei ffordd yn ôl!" chwarddodd Bray yn chwerw. "Tybed pwy anfonodd y milwyr yma? Maya, wrth gwrs."

Gwelodd Kenealy y Cymro yn codi ei ddwrn. Roedd golau rhyfedd yn llygaid y milwr ifanc. Doedd y sarjant ddim eisiau iddo ymosod ar y swyddog, felly aeth y Gwyddel i sefyll rhwng y ddau ddyn.

"Peidiwch â bod yn dwp, Taff," meddai'n llym. "A chi, syr, mae'n rhaid ichi feddwl cyn siarad fel yna.

Aeth milwyr Japan i mewn i'r caban heb amau dim. Doedden nhw ddim yn gwybod amdanon ni."

Meddyliodd Bray am foment, yna meddai'n dawel: "Mae'n ddrwg gen i, Jenkins, mae'r sarjant yn iawn. Doeddwn i ddim yn meddwl yn glir. Ond nawr rhaid inni fynd i Kunshongo. Mae'r ferch yn hwyr iawn. Mae hi wedi cael trafferth efallai."

Edrychodd Kenealy ar y Cymro. Roedd Alwyn yn nodio'i ben yn araf. Dechreuodd y Gwyddel ymlacio. Roedd y sefyllfa'n gwella.

"Iawn, syr," meddai'r sarjant. "Cadwn ni at y llwybr am filltir. Yna bydd rhaid inni fynd trwy'r jyngl. Dydyn ni ddim eisiau dod wyneb yn wyneb â'r Japaneaid."

Cyrhaeddon nhw gyrion Kunshongo yn hwyr yn y prynhawn. Trwy'r coed gallen nhw glywed sŵn cerbydau'n symud a dynion yn gweiddi. Roedd y dref yma yn llawer mwy swnllyd na phentref Pakkow.

"Wel, dyma ni, Sarjant," meddai'r lifftenant ifanc. "Beth nesaf?" Trodd Kenealy at Alwyn Jenkins.

"Rhaid ichi wisgo dillad Burma, Taff," meddai. "Pan fydd hi'n dechrau tywyllu, bydd rhaid ichi fynd i mewn i'r dref ac asesu'r sefyllfa yno."

Daeth y jyngl i ben yn sydyn iawn, a gwelodd Alwyn Jenkins ei fod e'n sefyll wrth ochr ffordd oedd yn cysylltu tref Kunshongo â gwersyll y Japaneaid. Roedd dwsinau o ddynion Burma yn cerdded ar hyd y ffordd yn cario bwcedi llawn pridd neu gerrig. Penderfynodd y Cymro ddilyn grŵp o weithwyr, ond heb fentro'n rhy agos atyn nhw.

Roedd e'n gallu gweld gwersyll y milwyr y tu ôl i ffens o weiren bigog. Wrth ochr y gwersyll roedd y gweithwyr yn torri'r coed i lawr ac yn gwneud cae mawr gwastad yn eu lle.

"Maen nhw'n gwneud maes awyr i'r Zeros," meddyliodd Alwyn. "Mae'r Americanwyr yn dibynnu ar eu hawyrennau bomio ond mae Akamuro'n gobeithio y bydd y Zeros yn rhy gyflym iddyn nhw."

Casglodd e fwced gwag ar ei ffordd i'r gwersyll. Roedd twll yng ngwaelod y bwced. Roedd rhywun wedi'i daflu e i ffwrdd.

Yn sydyn, ymddangosodd milwr Japaneaidd ar ganol y ffordd. Edrychodd ar fwced gwag y Cymro a dechrau gweiddi. Tynnodd ffon o'i wregys a dod â hi i lawr ar gefn Alwyn. Teimlodd y Cymro ei dymer yn codi, ond roedd rhaid iddo droi i ffwrdd heb ddweud gair.

Ond doedd y Japanead ddim yn fodlon eto. Dechreuodd ddilyn Alwyn gan weiddi trwy'r amser. Erbyn hyn roedd y chwys yn rhedeg i lawr wyneb y Cymro – a'r mwd hefyd. Doedd e ddim yn gwybod beth i'w wneud.

Yna clywodd sŵn cerbyd yn dod tuag atyn nhw. Hen Mercedes agored oedd e, ac roedd y gyrrwr ar frys. Stopiodd y car wrth ochr y milwr Japaneaidd a dechreuodd y gyrrwr weiddi gorchmynion. Roedd e eisiau i'r milwr glirio'r ffordd. Cododd y milwr chwiban i'w wefusau a chwythu'n uchel iawn. Pan glywson nhw'r chwiban rhuthrodd y gweithwyr i ochr y ffordd, ac aeth Alwyn Jenkins i ymuno â nhw.

Pan aeth y Mercedes heibio, cafodd y Cymro gipolwg ar y teithwyr yn y sedd gefn. Roedd dyn gwyn a gwallt melyn ganddo yn eistedd y tu ôl i'r gyrrwr ac roedd milwr Japaneaidd yn eistedd wrth ei ochr. Roedd y Japanead yn gwisgo cap cadfridog y fyddin. Akamuro oedd e ...

Pan aeth Alwyn Jenkins yn ôl i'r gwersyll yn y jyngl, roedd Bray a Kenealy yn hapus iawn i'w weld e. Roedden nhw wedi bod yn poeni amdano trwy'r amser.

"Wel?" gofynnodd y llifftenant. "Beth ydy'r sefyllfa yn Kunshongo?"

Dywedodd Alwyn y stori i gyd wrthyn nhw, gan gynnwys disgrifiad o'r dyn gwyn yng nghefn y Mercedes.

"Julius Menden," meddai'r sarjant. "Mae e wedi ein dilyn ni yma."

Nodiodd Lifftenant Bray ei ben.

"Ydy," cytunodd. "Felly, mae'r Japaneaid yn gwybod popeth amdanon ni."

"Ac am Maya," ychwanegodd Alwyn Jenkins yn drist. "Mae hi wedi syrthio i mewn i'w dwylo nhw."

Trodd Kenealy ato fe.

"Peidiwch â cholli gobaith, Taff," meddai â gwên wan. "Rhaid inni gysgu nawr. Efallai y bydd y sefyllfa'n gwella yfory."

Ond doedd dim llawer o obaith yn llais y sarjant.

16.

Fore trannoeth roedd Alwyn Jenkins ar bigau'r drain. Tra oedd y lifftenant a'r sarjant yn trafod eu cynlluniau am y dydd, roedd y Cymro ifanc yn meddwl am Maya. Ble roedd hi? Oedd hi yn y carchar? Oedd hi wedi marw?

Am un o'r gloch clywson nhw sŵn awyrennau. Trodd Bray at y lleill.

"Beth ydyn nhw ... Zeros?" gofynnodd y swyddog.

"Nage," atebodd Kenealy. "Yn ôl Taff dydy'r maes awyr ddim yn barod eto. Does dim lle iddyn nhw lanio yn Kunshongo."

Yn sydyn clywson nhw ffrwydradau o gyfeiriad y dref.

"Awyrennau Americanaidd ydyn nhw," meddai Bray yn gyffrous. "Maen nhw'n bomio gwersyll Akamuro." Trodd e at Alwyn Jenkins. "Rydych chi'n gwybod y ffordd, Jenkins. Rhaid inni fynd i Kunshongo ar unwaith. Efallai y cawn ni gyfle i ladd Akamuro."

Roedd y Cymro wedi torri ffordd trwy'r jyngl y diwrnod blaenorol, felly roedd y daith yn haws y tro yma. Ond, yn eu brys i gyrraedd y dref, doedden nhw ddim mor ofalus ag arfer.

Crac … ! Clywodd Alwyn yr ergyd, a syrthiodd Sarjant Kenealy i lawr gan ddal ei goes.

"I lawr," gorchmynnodd y Gwyddel er gwaethaf y poen yn ei goes. "Rwy'n gallu ei weld e yn y coed."

Roedd Kenealy'n gorwedd ar ei gefn, ond llwyddodd i godi'r gwn sten. Saethodd am eiliad neu ddau, a gwelodd Alwyn gorff yn syrthio allan o ganghennau coeden enfawr. Rhoddodd Kenealy y gwn sten i lawr.

"Bandais," meddai'n llym. "Rwy'n colli gwaed."

Doedd Alwyn erioed wedi gweithio mor gyflym. Clymodd e fandais o gwmpas coes y sarjant, ond yna sylwodd fod Lifftenant Bray wedi diflannu.

"Mae e wedi mynd ymlaen ar ei ben ei hunan,"

meddai Kenealy. "Bydd e'n cael ei ladd. Dilynwch e, Taff. Dewch â fe yn ôl!"

Pan gyrhaeddodd y Cymro y ffordd gwelodd fod y gwersyll i gyd ar dân. Ac roedd bomiau yn dal i ddisgyn er gwaethaf ac-ac y Japaneaid. Doedd dim milwyr ar y ffordd. Roedden nhw i gyd yn ceisio arbed adeiladau'r gwersyll.

Agorodd porth mawr y gwersyll a daeth y Mercedes agored trwyddo gan gario'r gyrrwr ac Akamuro ei hunan. Roedd darn o'r ffens wedi cael ei daflu ar draws y ffordd, ac roedd rhaid i'r gyrrwr stopio'r car a dod allan i glirio'r ffordd.

Gwelodd Alwyn ddyn yn dod allan o'r coed ac yn cerdded at y Mercedes. Lifftenant Bray oedd e, ac roedd e'n cario dryll mewn un llaw a bom llaw yn y llall. Taflodd Bray y bom llaw dan olwynion cefn y car. Yna cododd e'r dryll a saethu'r gyrrwr yn ei ben.

Ceisiodd y Cadfridog Akamuro neidio allan o'r Mercedes, ond yn rhy hwyr. Ffrwydrodd y bom llaw ac aeth y car i fyny mewn cwmwl o fflamau a mwg.

Gwaeddodd Alwyn enw'r lifftenant, ond roedd awyren yn hedfan yn syth uwch eu pennau, a chlywodd y swyddog mohono fe. Roedd Bray yn sefyll yng nghanol y ffordd fel delw. Yna clywodd y Cymro sŵn arall.

Tac, tac, tac … Roedd bwledi gynnau un o'r

awyrennau'n palu tyllau yn y tarmac.

"Rhedwch syr, rhedwch," gwaeddodd Alwyn, ond yn ofer. Gwelodd e Bray yn syrthio i'r ddaear a gwaed yn llifo o'i gorff.

Roedd Lifftenant Bray wedi cael ei ladd gan yr Americanwyr!

17.

"Mae'r lifftenant wedi marw," meddai Alwyn wrth Kenealy. "Ond llwyddodd e i ladd Akamuro â bom llaw."

Nodiodd y sarjant ei ben. Doedd Kenealy ddim yn edrych yn dda o gwbl. Roedd ei goes wedi chwyddo, ac roedd ei wyneb yn chwys i gyd.

"Rhaid inni fynd," meddai'r Cymro. "Allwch chi gerdded?"

Roedd rhaid iddo helpu'r Gwyddel i godi. Roedd coes Kenealy ar dân.

"Gadewch fi yma, Taff," meddai'r sarjant. "Maen nhw'n mynd i'n dal ni fel hyn."

"Na wnaf, Sarj," atebodd Alwyn. "Fydda i ddim yn hapus yn y jyngl ar fy mhen fy hunan!"

"Gorchymyn ydy e, Jenkins," meddai Kenealy yn llym. "Gadewch fi yma."

Siglodd y Cymro ei ben.

"Gorchymyn, Sarj?" chwarddodd. "Dydw i ddim yn mynd i wrando arnoch chi pan dych chi'n siarad lol fel yna."

Roedd Kenealy yn teimlo'n rhy dost i brotestio. Aethon nhw'n araf trwy'r jyngl. Roedd y Cymro'n meddwl am y caban yn y coed trwy'r amser.

"Peidiwch â phoeni, Sarj," meddai wrth y llall. "Fe fydd y llanc a'i fam yn rhoi help inni. Mae arian Burma 'da fi o hyd."

Ond pan gyrhaeddon nhw'r llannerch, roedd milwyr Japan yn disgwyl amdanyn nhw. Doedd dim ots gan Kenealy. Roedd e'n rhy flinedig i boeni am y dyfodol. Gwelodd e nhw'n clymu dwylo Alwyn Jenkins â rhaff. Yna rhoddon nhw Kenealy ar stretsier ac aeth e i gysgu bron yn syth. Pan ddeffrodd e eto, roedden nhw wedi cyrraedd y ffordd fawr lle roedd lorri'n disgwyl amdanyn nhw. Rhoddodd y milwyr y stretsier ar gefn y lorri, ac aeth y Gwyddel i gysgu eto.

O bryd i'w gilydd roedd Kenealy yn deffro. Doedd y milwyr ddim yn siarad o gwbl. Roedden nhw'n edrych yn nerfus.

"Mae ofn awyrennau America arnyn nhw," meddyliodd y sarjant. "Dydyn nhw ddim yn teimlo'n ddiogel ar y ffordd fawr."

Yna deffrodd e mewn ystafell. Roedd e'n gorwedd

47

ar fwrdd mawr, ac roedd dyn bach tenau yn edrych arno fe â diddordeb. Roedd y poen yn ei goes e'n ofnadwy.

Roedd y dyn bach yn dal rhywbeth yn ei law. Nodwydd hir oedd hi. Gwenodd e ar y carcharor.

"Morffin," meddai. "Peidiwch â … "

Dechreuodd y Gwyddel weiddi ac ymladd, ond roedd breichiau cryf yn ei ddal i lawr. Aeth y nodwydd i mewn i'w fraich, a theimlodd e'r cryfder yn llifo o'i gorff.

18.

Pan agorodd Kenealy ei lygaid eto, roedd ei geg yn sych. Trodd ei ben a gweld gwydraid o ddŵr ar fwrdd bach wrth ochr ei wely.

"Syt rydych chi'n teimlo, Sarjant?"

Edrychodd i fyny a gweld Julius Menden yn eistedd ar gadair ger y ffenestr. Profodd Kenealy y dŵr cyn ateb.

"Tipyn yn well … diolch."

Taniodd Menden sigâr â matsien.

"Roedd rhaid i'r meddyg dynnu'r bwled allan," meddai. "Fel arall, byddech chi wedi colli'ch coes."

Rhoddodd y sarjant y gwydryn i lawr ar y bwrdd.

"Ble rydw i?" gofynnodd.

"Yn ôl ym mhentref Pakkow," atebodd Menden. "Gyda llaw, mae'n ddrwg gen i am y lifftenant. Ond roedd e'n llwyddiannus iawn. Ar ôl marwolaeth y Cadfridog Akamuro mae llinell ffrynt y Japaneaid yn torri."

Syllodd Kenealy ar y nenfwd.

"Roedd y lifftenant yn ddyn dewr," meddai.

"Oedd," cytunodd Menden. "Doedd e ddim yn dwp chwaith. Roedd e'n amau taw Almaenwr oeddwn i ac roedd e'n iawn."

"Almaenwr sy'n gweithio i'r Japaneaid," meddai'r Gwyddel. "Wedi'r cyfan, mae'r Almaenwyr a'r Japaneaid yn ffrindiau da."

Cododd Menden ar ei draed a dechrau cerdded o gwmpas yr ystafell.

"Flynyddoedd maith yn ôl, roeddwn i'n gweithio fel diplomydd yn Singapore," meddai. "Syrthiais i mewn cariad â merch groen-felen, a'i phriodi. Yna, pan ddaeth Hitler i rym gartref yn yr Almaen, collais i fy swydd, achos doedd y Natsïaid ddim yn derbyn priodasau cymysg. Ar ôl colli fy swydd, fe ddes i yma i Pakkow a sefydlu ffatri trin coed."

"Ac yna, pan ddaeth y Japaneaid i Burma, dechreuoch chi weithio iddyn nhw," meddai Kenealy.

"Do," atebodd Menden. "Doedd dim dewis 'da fi.

Ond doeddwn i ddim yn ymddiried ynddyn nhw. Felly, anfonais i fy ngwraig i ffwrdd. Fel arall, byddai'r Japaneaid wedi ei dal hi fel gwystl er mwyn gwneud yn siŵr y byddwn i'n aros yn ffyddlon iddyn nhw."

"Sut roeddech chi'n gwybod bod Maya wedi mynd â ni i Kunshongo?" gofynnodd y sarjant yn sydyn.

Chwythodd Menden fwg at y nenfwd.

"Doedd dim syniad 'da fi lle roeddech chi wedi mynd," atebodd. "Fe anfonais i bobl i bob man i chwilio am Maya, achos roeddwn i'n poeni'n fawr amdani. Ond fe es i i Kunshongo am reswm arall – i weld fy ngwraig, Ying, er mwyn dod â hi'n ôl i Pakkow cyn y bomio. Wrth lwc, fe ddaeth Maya i'r tŷ tra oeddwn i'n ymweld â Ying. Felly, fe ddes i â Maya yn ôl gyda fi hefyd."

Roedd pen Kenealy yn troi. Roedd rhywbeth o'i le ar y stori yma.

"Sut roeddech chi'n gwybod am y bomio ymlaen llaw?" gofynnodd e'n syn.

"Achos rwy'n gweithio fel swyddog cyswllt rhwng y Chineaid a'r Americanwyr," atebodd Menden.

Cododd Kenealy ar ei eistedd yn y gwely. Roedd y stori hon yn anhygoel.

"Ond beth am y milwyr Japaneaidd a ddaeth â fi yma?" gofynnodd.

"Mae'r milwyr yna'n gwisgo dillad Japan, ac maen

nhw'n siarad iaith Japan," meddai Menden. "Ond milwyr China ydyn nhw – uned arbennig sy'n gweithio y tu ôl i linellau byddin Japan. Gyda llaw, fe fentron nhw'n ofnadwy i ddod â chi yma. Maen nhw'n ddynion dewr iawn."

"Ond pam na ddywetsoch chi'r gwir wrthon ni pan gyrhaeddon ni Pakkow y tro cyntaf?" gofynnodd Kenealy.

"Achos roedd fy ngwaith i'n gyfrinachol," atebodd Menden. "Fel eich gwaith chi. Ddywetsoch chi ddim gair wrtho'i am ladd Akamuro. Ond yn y cyfamser rydw i wedi bod mewn cysylltiad â'r Americanwyr, ac maen nhw eisiau ichi gael gwybod y gwir nawr."

Roedd cwestiwn arall gan y Gwyddel.

"Pam roeddech chi'n poeni cymaint am Maya?" gofynnodd. "Oeddech chi'n meddwl y byddai hi'n siarad am eich gwaith chi wrthon ni neu wrth filwyr Japan?"

"Merch benderfynol ydy Maya," atebodd Menden. "Doedd hi ddim yn meddwl am y perygl pan aeth hi i ffwrdd gyda chi. Roedd hi'n barod i golli popeth dros ei chariad, Alwyn, fel roeddwn i'n barod i golli popeth dros fy nghariad Ying amser maith yn ôl. Roedd rhaid i fi wneud rhywbeth i'w hachub hi, Sarjant."

Syllodd Kenealy arno. Roedd mewn penbleth o hyd.

"Ydych chi ddim yn deall?" meddai Menden. "Fy

51

merch i ydy Maya, unig blentyn Ying a fi. Dyna pam roeddwn i'n poeni amdani."

Nodiodd y Gwyddel ei ben. Roedd popeth yn glir nawr.

"Ble mae Alwyn Jenkins?" gofynnodd.

"Gyda Maya," atebodd Menden. "Gyda llaw, mae'r Americanwyr yn mynd i gysylltu â'r Prydeinwyr. Maen nhw eisiau i chi'ch dau aros yma i wneud gwaith cyswllt gyda fi."

Meddyliodd Sarjant Kenealy am foment.

"Beth mae'r Cymro yn ei ddweud?" gofynnodd.

Edrychodd Julius Menden drwy'r ffenestr. Roedd Maya ac Alwyn Jenkins yn croesi'r sgwâr fach gyda'i gilydd. Roedden nhw'n dod â basgedaid o ffrwythau i'r Gwyddel, ac roedden nhw'n edrych yn hapus iawn.

"Alwyn?" atebodd Menden. "O, dydy e ddim yn cwyno … "

GEIRFA DDETHOL
SELECT VOCABULARY

acen *accent*

achub *to save*

agor *to open*

agos *near*

ail *second*

Alban, yr *Scotland*

Almaen, yr *Germany*

amau *to suspect*

amhosibl *impossible*

amser maith *a long time*

amserlen *timetable*

anadlu *to breathe*

anafu *to wound*

anelu *to aim*

anfon *to send*

anffurfiol *informal*

anhygoel *incredible*

araf *slow*

arall *another*

arbed *to save*

arbennig *special*

ardderchog *excellent*

arfau *weapons*

aros *to stay*

arwr *hero*

ateb *answer*

awyddus *eager*

awyr *air*

awyren *aeroplane*

baglwch hi *beat it*

bandais *bandage*

beth bynnag *anyway*

(ar) bigau'r drain *on tenterhooks*

blaen *front*

blinedig *tired*

boch *cheek*

bol(a) *stomach*

braich *arm*

brawddeg *sentence*

breuddwyd *dream*

bron *almost*

brwydr *battle*

bryn *hill*

bwgan *ghost*

bwyta *to eat*

byddin *army*

bygwth *to threaten*
bys *finger*
bywyd *life*

cadarn *strong*
cadfridog *general*
cadw *to keep*
cael *to have, get*
caled *hard*
canllath *hundred yards*
cannwyll *candle*
carcharor *prisoner*
cariad *boyfriend, girlfriend*
casáu *to hate*
casglu *to pick, collect*
cawl *soup*
cawod *shower*
cefnogi *to support*
ceisio *to try*
cerbyd *vehicle*
cipolwg *glimpse*
clun *thigh*
clust *ear*
clywed *to hear*
cochi *to blush*
codi *to raise, shrug*
coeden *tree*

coes *leg*
cofio *to remember*
colli *to lose*
corff *body*
cosfa *beating*
crac *angry*
croen *skin*
croesi *to cross*
cryf *strong*
cuddio *to hide*
cul *narrow*
curo *to beat*
cusan *kiss*
cwrdd *to meet*
cwrw *beer*
cwympo *to fall*
cychwyn *to set out*
cyfamser *meantime*
cyfarfod *meeting*
cyfarwydd *familiar*
cyfeiriad *direction*
cyfle *opportunity*
cyfrinach *secret*
cyngor *advice*
cyllell *knife*
cymorth *help*
cymryd *to take*

cymysg *mixed*
cynllun *plan*
cynnig *offer*
cyrraedd *to arrive*
cysgod *shadow*
cysylltu *to connect, join*
cytuno *to agree*

chwaith *either*
chwarddodd *laughed*
chwerthin *to laugh*
chwibanu *to whistle*
chwilio *to search*
chwys *sweat*

daear *ground*
dagrau *tears*
dangos *to show*
dail *leaves*
dal *to hold, continue*
darn *piece*
de *south*
deall *to understand*
dechrau *to start, beginning*
defnyddio *to use*
deffro *to wake up*
deilen *leaf*

delw *statue*
derbyn *to accept, receive*
dewis *to choose, choice*
dewr *brave*
dibynnu *to depend*
dieithr *foreign*
diflannu *to disappear*
difri *serious*
diffodd *to switch off*
digwydd *to happen*
dilyn *to follow*
dillad *clothes*
dinistrio *to destroy*
diogel *safe*
diplomydd *diplomat*
disgwyl *to wait, expect*
disgyn *to descend, fall*
distaw *silent*
diwrnod *day*
dringo *to climb*
dryll *gun*
dweud *to say*
dwrn *fist*
dwylo *hands*
dwyn *to steal*
dyfodol *future*
dymunol *pleasant*

edrych *to look*
efallai *perhaps*
Eidal, yr *Italy*
eistedd *to sit*
enfawr *huge*
ergyd *blow*
esbonio *to explain*
estyn *to hold out*

ffatri trin coed *timber works*
ffin *border*
ffon *stick*
ffordd *road, way*
ffrwydrad *explosion*
ffrwythau *fruit*
ffyddlon *faithful*
ffyrnig *fierce*

gadael *to leave*
gafael *to seize*
gair *word*
gallu *to be able*
gelyn *enemy*
ger *near*
glân *clean*
glanio *to land*

glaswellt *grass*
gobeithio *to hope*
gofalus *careful*
gofyn *to ask*
gogledd *north*
golau *light*
gorau *best*
gorchymyn *command*
gorffwys *to rest*
gorwedd *to lie down*
gostwng *to lower*
grym *power*
gwaed *blood*
gwael *bad*
gwag *empty*
gwallgofddyn *madman*
gwallt *hair*
gwastad *flat*
gwawr *dawn*
gwddf *throat*
gweddill *remainder*
gwefus *lip*
gweiddi *to shout*
gweithio *to work*
gwella *to improve*
gwên *smile*
gwenu *to smile*

gwersyll *camp*
gwisgo *to wear*
gwlyb *wet*
gwrando *to listen*
gwregys *belt*
gwres *heat*
gwrthod *to refuse*
gwthio *to push*
Gwyddel *Irishman*
gwyliadwriaeth *watch*
gwyrdd *green*
gwystl *hostage*
gyda llaw *by the way*
gyrrwr *driver*

hafn *gorge*
hardd *pretty*
haul *sun*
hawdd *easy*
hawl *right*
hedfan *to fly*
hela *to hunt, chase*
hir *long*
hiraethu *to long for*
holl *whole*
hwyr *late*
hyfryd *lovely*

hytrach *rather*

iaith *language*
isel *low, soft*
Iseldiroedd, yr *Netherlands*
islaw *beneath*
Iwerddon *Ireland*

lol *nonsense*

lladd *to kill*
llais *voice*
llall *other one*
llanc *lad*
llannerch *clearing*
llaw *hand*
llawn *full*
lle *place*
lleill *others*
lleuad *moon*
lliw *colour*
llond *full*
llosgi *to burn*
Llundain *London*
llwch *dust*
llwybr *path*
llwyddo *to succeed*

58

llydan *wide*
llym *sharp*
llynedd *last year*

maes *field*
marw *to die*
meddal *soft*
meddwl *to think*
melyn *yellow*
mentro *to venture*
methu *to fail*
milwr *soldier*
milltir *mile*
mor *as*
mwg *smoke*

nabod *to know*
neidio *to jump*
neidr *snake*
nenfwd *ceiling*
neuadd *hall*
newid *to change*
newyddion *news*
niwl *mist*
nodwydd *needle*
nofio *to swim*

ochr *side*
oed *age*
oer *cold*
ofer *vain*
ofnadwy *awful*
ofni *to fear*
olaf *last*
olion *tracks*
olwyn *wheel*
osgoi *to avoid*

pa mor *how*
paid *don't*
palu *to dig*
paratoi *to prepare*
parchu *to respect*
penbleth *quandary*
penderfynu *to decide*
pengaled *stubborn*
pen-lin *knee*
pennaeth *headman*
pentre *village*
perffaith *perfect*
perthyn *to belong*
peryglus *dangerous*
pesychu *to cough*
petruso *to hesitate*

pib *pipe*
plaen *plain*
pluen *feather*
poeni *to worry*
poeth *hot*
priodi *to marry*
profiadol *experienced*
Prydain *Britain*
Prydeinwyr *British people*
prydferth *beautiful*
prysur *busy*
pwll *pool*
pwysig *important*

rhaff *rope*
rhaid *necessary*
rheilffordd *railway*
rheoli *to control*
rhieni *parents*
rhoddi *to give*
rhoi *to give*
rhuthro *to rush*
rhybudd *warning*
rhyfedd *strange*

saethu *to shoot*
sâl *ill*

sefyll *to stand*
sefyllfa *situation*
sêr *stars*
sgrechian *to scream*
sialens *challenge*
sibrwd *whisper*
siglo *to shake*
sôn *to talk*
sugno *to suck*
swil *shy*
sŵn *sound*
swnio *to sound*
swnllyd *noisy*
swydd *job*
swyddog *officer*
sych *dry*
sylweddoli *to realize*
sylwi *to notice*
symud *to move*
syn *surprised*

tafodiaith *dialect*
taith *journey*
talcen *forehead*
tanio *to light, fire*
teimlo *to feel*
tenau *thin*

teulu *family*

tew *fat*

torri *to break, cut*

tra *while, as*

trafod *to discuss*

trafferth *trouble*

trannoeth *the next day*

tref *town*

trefnu *to organize*

treulio *to spend*

tridegau *thirties*

trigolion *inhabitants*

trofannau *tropics*

troi *to turn*

trwchus *thick*

trwm *heavy*

trwy *through*

twll *hole*

tybed *I wonder*

tyfu *to grow*

tymer *temper*

tynnu *to pull, take out*

tywyll *dark*

tywys *to guide*

tywysydd *guide*

ugain *twenty*

uned *unit*

weiren bigog *barbed wire*

wyneb *face*

ymddiried *to trust*

ymdrechu *to struggle*

ymddwyn *to behave, act*

ymhen *within*

ymladd *to fight*

ymlaen *forward*

ymlaen llaw *beforehand*

ymosod *to attack*

ymuno *to join*

ymwelydd *visitor*

ysgwyd *to shake*

ysgwydd *shoulder*

ystyfnig *obstinate*

Storïau Bob Eynon
o Wasg y Dref Wen

I BOBL IFANC
(gyda lluniau du-a-gwyn)
Dol Rhydian
Yr Asiant Cudd
Crockett yn Achub y Dydd
Trip yr Ysgol
Yn Nwylo Terfysgwyr
Castell Draciwla
Arian am Ddim

* *hefyd ar gael ar gasét yng nghyfres*
LLYFRAU LLAFAR Y DREF WEN